Félix joue avec le français 1

6 à 9 ans

W9-CEA-742

collection:
Les JEUX de FÉLIX

Jeux et illustrations:
Nancy Gagné
orthopédagogue

Révision: Alain Benoît
Marjolaine Fournier

ISBN-10 : 2-921820-10-2
ISBN-13 : 978-2-921820-10-3
Dépôt légal - Bibliothèque nationale du Québec, 1996
Dépôt légal - Bibliothèque nationale du Canada, 1996
IMPRIMÉ AU CANADA

Éditions Trapèze

C. P. 98027, Succ. Place Élite, Ste-Thérèse, Québec, J7E 5R4
Téléphone et télécopieur (450) 430-2011
courriel: info@editionstrapeze.ca

www.editionstrapeze.ca

"Lettre aux jeunes"

Bonjour!

C'est moi Félix, le drôle de petit bonhomme qui adore les jeux. Dans ce cahier-ci, tu trouveras des dizaines de jeux avec les mots et plusieurs jeux d'observation pour te détendre. Ces jeux te permettront d'avoir beaucoup de plaisir tout en apprenant de nouvelles choses sur le français!

Je te souhaite Bons Jeux! À bientôt,

Félix

felix@editionstrapeze.ca

1 Écris dans le carré la lettre de l'alphabet qui n'a jamais été utilisée pour écrire ces noms d'animaux.

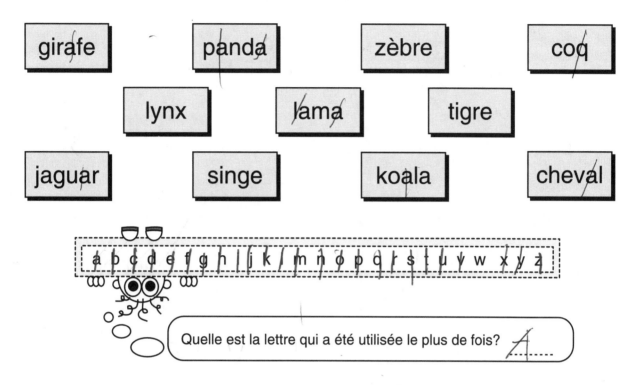

girafe   panda   zèbre   coq

lynx   lama   tigre

jaguar   singe   koala   cheval

a b c d e f g h i j k l m n o p q r s t u v w x y z

Quelle est la lettre qui a été utilisée le plus de fois? A

VOYELLE OU CONSONNE?

2 Colorie seulement les formes qui contiennent un mot qui n'a qu'**une seule voyelle**. Félix a fait un exemple pour toi. Lorsque tu auras terminé, tu verras un mot apparaître dans la grille.

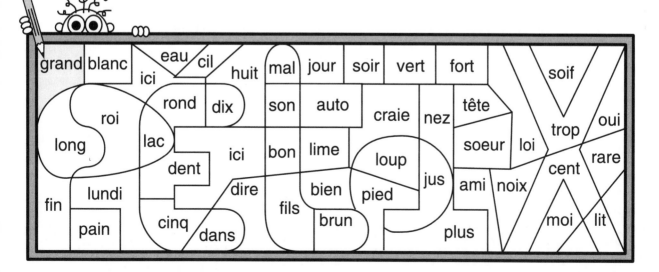

grand | blanc | eau | cil | huit | mal | jour | soir | vert | fort | soif
ici | rond | dix | son | auto | craie | nez | tête
roi | lac | ici | bon | lime | loup | soeur | loi | trop | oui
long | dent | dire | bien | pied | jus | cent | rare
fin | lundi | cinq | fils | brun | ami | noix | moi | lit
pain | dans | plus

LES CACHES

3 Écris chaque mot de la liste suivante sur la cache qui lui convient.
Regarde bien l'exemple que Félix a fait pour toi.

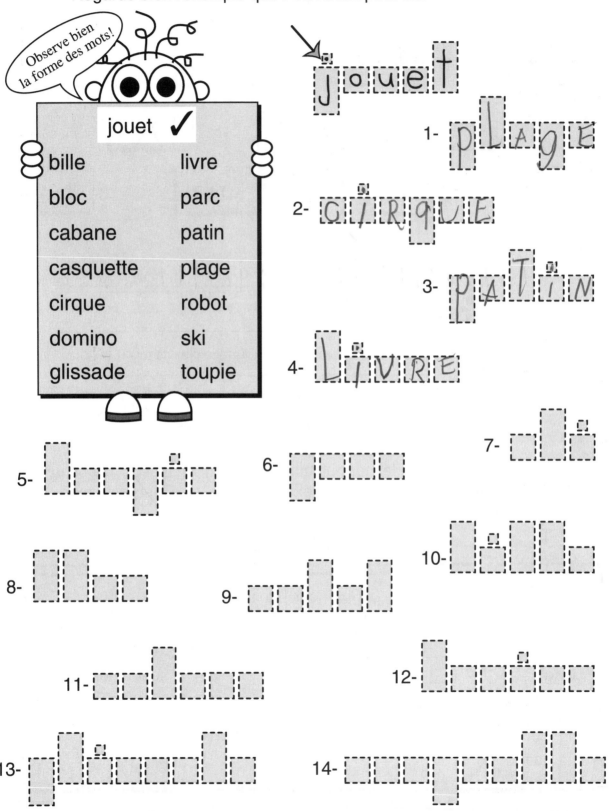

Observe bien la forme des mots!

jouet ✓

bille	livre
bloc	parc
cabane	patin
casquette	plage
cirque	robot
domino	ski
glissade	toupie

Jouet

1- pLAge

2- CIRqUE

3- PATIN

4- LIVRE

5-
6-
7-
8-
9-
10-
11-
12-
13-
14-

LABYRINTHE

4 Trace le chemin que l'on doit prendre pour rejoindre Félix.

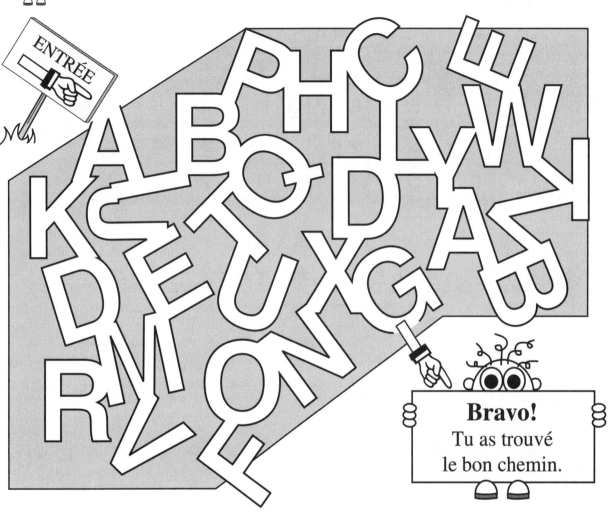

ENTRÉE

Bravo!
Tu as trouvé
le bon chemin.

LES VOYELLES

A
E
I
O
U
Y

5 Ajoute des voyelles pour compléter les noms d'animaux suivants.
Afin de t'aider, Félix t'a donné un indice sous chaque mot.

l □ □ nc □ □ □ □
(bébé de la lionne)

cr □ c □ d □ l □
(alligator)

ch □ m □ □ □ □
(deux bosses)

c □ n □ rd
(coin coin)

g □ r □ f □
(long cou)

CODE SECRET

Déchiffre le message à l'aide du code secret.

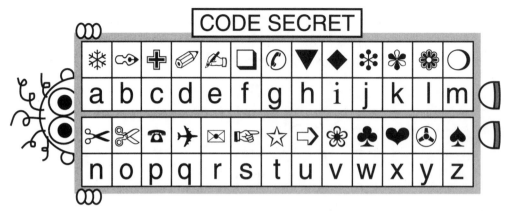

Message

le gorille est

le plus grand et

le plus fort de

tous les singes.

LE MOT DE FÉLIX

Parmi toutes les étiquettes contenant un mot, encercle celle que Félix recherche. Le mot de Félix doit respecter tous les indices.

INDICES

nom commun - féminin - singulier - contient trois (3) consonnes

carré

tantes

matin

Karine

tables

Mathieu

ruche

soeur

frère

cousin

lapin

MOT-MYSTÈRE

Trouve les mots suivants dans la grille et encercle-les.
Les lettres restantes compléteront le mot de la phrase du bas.

Le son **in**

cinq
coquin
indice
jardin
lapin
matin
mince
pincer
pinson
raisin
sapin
singe
vin

p	j	a	r	d	i	n	n
e	i	s	a	p	i	n	i
c	s	n	i	o	v	i	t
i	i	c	s	u	i	u	a
d	n	i	i	o	n	q	m
n	g	n	n	i	n	o	n
i	e	q	m	i	n	c	e
l	a	p	i	n	c	e	r

Le p__ __ ss __ __   sort de sa coquille.

LABYRINTHE

Indique au petit oeuf le chemin qu'il doit prendre pour retrouver son nid.

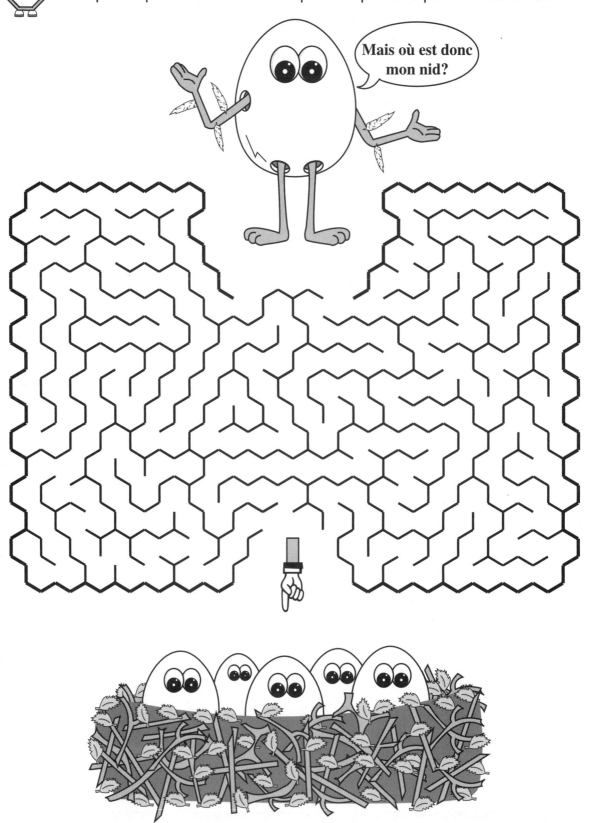

MOTS ENTRECROISÉS

À partir des indices suivants, trouve les mots que l'on cherche et inscris-les dans la grille. Félix a fait un exemple pour toi.

ATTENTION!
Tous les mots contiennent le son "**CH**" à l'intérieur.

INDICES

1- J'empêche ton bain de se vider.
2- Je brûle dans les foyers.
3- Je suis l'abri du chien.
4- Je suis un animal du désert. J'ai deux (2) bosses.
5- Je suis un bébé chat.
6- Je suis la maison du roi.
7- Je me transformerai en papillon.
8- Je jappe.
9- Je suis un ustensile de cuisine. J'ai des dents.
10- Je suis le féminin de "blanc".
11- Je donne du lait.
12- Je suis la maison des abeilles.

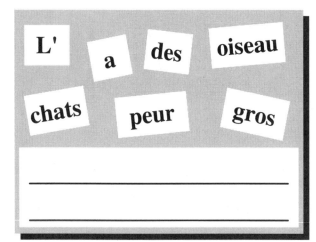

MÉLI-MÉLO

Dans chaque rectangle tu trouveras des mots qui peuvent former une phrase. À toi de les remettre en ordre!

Rectangle 1:

L' a des oiseau

chats peur gros

_____

_____

Rectangle 2:

nouveaux adore jeux

de Félix inventer

_____

_____

Rectangle 3:

enfants jouant en

Les aiment apprendre

_____

_____

Rectangle 4:

au fleurit Le

lilas printemps

_____

_____

Rectangle 5:

tourne autour La

Soleil Terre du

_____

_____

Rectangle 6:

jours semaine sept

dans a y une Il

_____

_____

12 Relie chaque étoile au bon mouton.

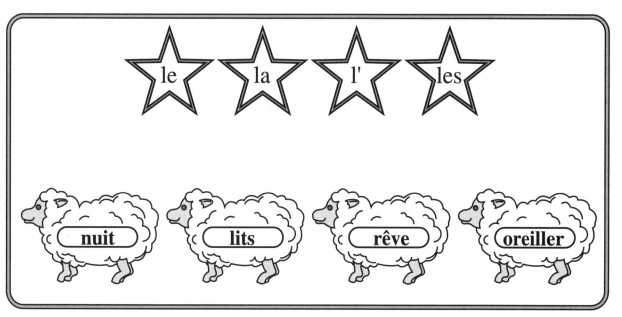

le ☆   la ☆   l' ☆   les ☆

nuit   lits   rêve   oreiller

13 Trouve les mots suivants dans la grille et encercle-les.
Les lettres restantes formeront la réponse.

eu

bleu	neuf
cheveu	peur
deux	pneu
docteur	voleur
facteur	yeux
jeudi	
meuble	

Félix adore l'odeur des

_ _ _ _ _ _ _ .

f	a	c	t	e	u	r	r
v	c	h	e	v	e	u	u
o	d	j	p	n	e	u	e
l	m	e	u	b	l	e	t
e	b	u	u	f	l	x	c
u	l	d	e	x	u	u	o
r	e	i	p	e	u	r	d
r	u	s	y	n	e	u	f

FÉMININ OU MASCULIN?

Colorie en **rouge** les tortues qui contiennent un nom **féminin**.
Colorie en **bleu** les tortues qui contiennent un nom **masculin**.

15 Complète le texte suivant avec les mots placés sur les étiquettes.
Tu ne peux utiliser les étiquettes qu'une fois.

oeufs   Les   lentement   elles

dure   serpents   maison   pattes

tortues   nager   vivre

Les tortues

Les tortues sont des reptiles comme les lézards et les

_____ . Les femelles pondent des _____ .

On dit souvent qu'une tortue transporte sa _____

sur son dos. En fait, elle a une carapace _____ et

solide qui sert à la protéger. Lorsqu'elle a peur, elle rentre

sa tête et ses _____ à l'intérieur de sa carapace.

_____ tortues marines peuvent _____

rapidement. Par contre, les _____ qui se

déplacent sur la terre bougent très _____ .

Savais-tu que certaines tortues peuvent _____

très longtemps? Parfois, _____ peuvent vivre

jusqu'à deux cents ans.

ORDRE ALPHABÉTIQUE

16 Place les mots des étiquettes en ordre alphabétique dans la grille et tu découvriras le livre préféré de Félix en lisant à la verticale. Félix a déjà placé le premier mot.

Lorsque deux mots commencent par la même lettre, tu dois regarder la deuxième lettre.

Mon livre préféré est...

patin

chaud

aller ✓

jouet

verbe

salir

soeur

droit

métro

radio

boîte

neige

livre

école

1- a l l e r

2-

3-

4-

5-

6-

7-

8-

9-

10-

11-

12-

13-

14-

a b c d e f g h i j k l m n o p q r s t u v w x y z

MÉLI-MÉLO

Replace en ordre les lettres dans chaque bulle ci-dessous et
tu retrouveras huit (8) moyens de transport.

n i a v o
_____

r a n i t
_____

a t e b a u
_____

o b t u a u s
_____

i n a c m o
_____

Celui-ci est
mon véhicule préféré!

t o o m
_____

v i u e r o t
_____

é f s u e
_____

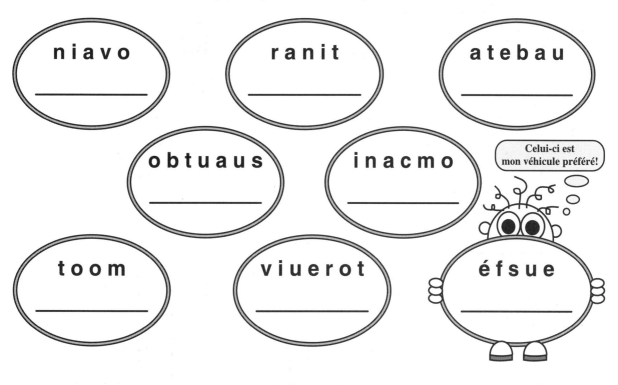

MOT-MYSTÈRE

Trouve les mots suivants dans la grille et encercle-les.
Les lettres restantes compléteront le mot que l'on cherche.

Les adjectifs

beau	laid
comique	libre
doux	long
farceur	propre
fort	sage
froid	vide
grand	vieux

Félix est toujours très
pr __ __ __ nt lorsqu'il
va à bicyclette.

u	f	p	r	o	p	r	e
c	o	m	i	q	u	e	r
g	r	l	i	b	r	e	u
r	t	b	x	e	v	f	e
a	d	u	e	g	i	r	c
n	o	d	n	a	e	o	r
d	i	o	e	s	u	i	a
v	l	a	i	d	x	d	f

VOYELLE OU CONSONNE?

19

Colorie seulement les formes qui contiennent un mot qui n'a qu'**une seule consonne**. Félix a fait un exemple pour toi. Lorsque tu auras terminé, tu verras un mot apparaître dans la grille.

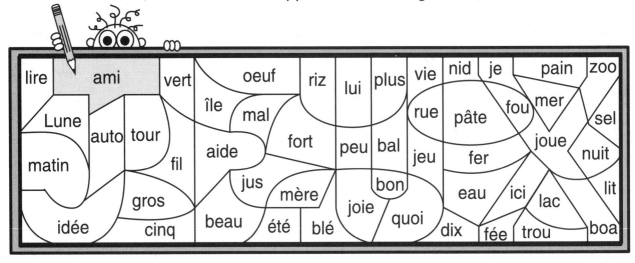

ASSOCIATION DE SYLLABES

20

Associe les syllabes des deux colonnes de gauche à celles des deux colonnes de droite pour former dix (10) verbes.

Écris les VERBES ici.

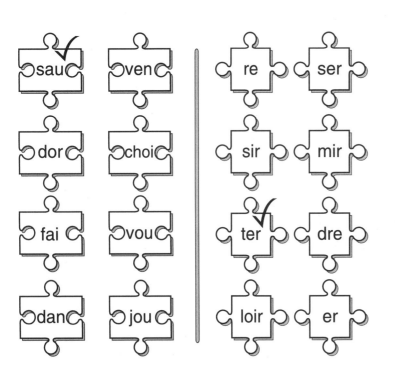

1- sauter
2-
3-
4-
5-
6-
7-
8-

LES CACHES

21 Écris chaque mot de la liste suivante sur la cache qui lui convient.
Regarde bien l'exemple que Félix a fait pour toi.

Observe bien la forme des mots!

r o u l e r

Liste:

- rouler ✓
- aller
- attraper
- bouger
- cacher
- calculer
- chanter
- chercher
- coller
- couper
- gagner
- garder
- nager
- tomber
- voyager

1-

2-

3-

4-

5-

6-

7-

8-

9-

10-

11-

12-

13-

14-

MOTS ENTRECROISÉS

22 À partir des indices suivants, trouve les mots que l'on cherche et inscris-les dans la grille.

ATTENTION!
Tous les mots commencent par la lettre "**F**".

INDICES

1- Je suis le deuxième mois de l'année.

2- Je distribue le courrier.

3- Je suis un produit laitier. Les souris m'adorent.

4- Je suis un drôle de petit bonhomme que tu peux voir un peu partout dans ce cahier.

5- Je suis verte en été et je rougis à l'automne.

6- Je suis un grand terrain où il y a beaucoup d'arbres.

7- Attention! Je brûle.

8- Je tombe du ciel lorsqu'il y a une tempête de neige.

9- Tu me vois au cinéma.

10- Je suis un mot qui veut dire la même chose que "visage".

11- Je suis le contraire de "faible".

12- Je suis le féminin de "garçon".

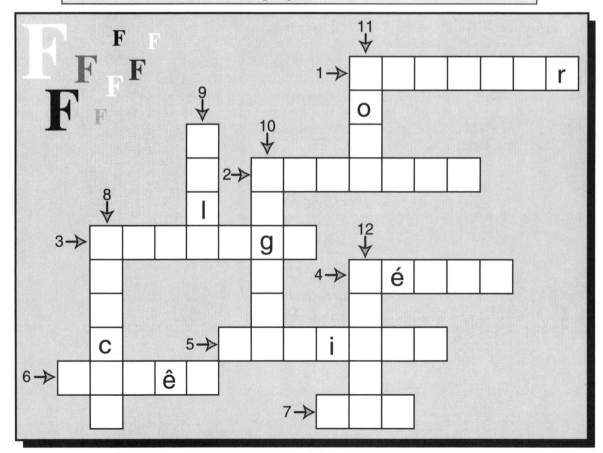

CODE SECRET

Déchiffre le message à l'aide du code secret.

CODE SECRET

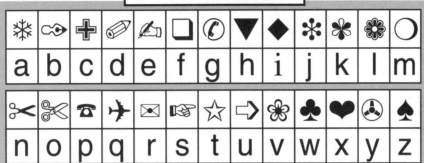

❄	➛	✛	✏	✍	▢	☎	▼	◆	❋	❀	❁	○
a	b	c	d	e	f	g	h	i	j	k	l	m

✂	✂	☎	✈	✉	☞	☆	➡	✿	♣	♥	⊛	♠
n	o	p	q	r	s	t	u	v	w	x	y	z

Message

Ligne 1 :

l e   d r o m a d a i r e

_ _ _ _ _ _ _ _ _ _ _ _

r e s s e m b l e   a u

_ _ _ _ _ _ _ _ _ _ _

c h a m e a u   m a i s   i l

_ _ _ _ _ _ _ _ _ _ _ _ _

n ' a   q u ' u n e   b o s s e

_ ' _ _ _ ' _ _ _ _ _ _

s u r   l e   d o s

_ _ _ _ _ _ _ .

MOT-MYSTÈRE

Trouve les mots suivants dans la grille et encercle-les.
Les lettres restantes formeront la réponse.

Le son **oi**

- avoir
- boire
- bois
- choix
- devoir
- doigt
- droit
- miroir
- moi
- oiseau
- poivre
- soif
- toile

v	d	o	i	g	t	m	o
s	b	a	c	h	o	i	x
p	o	i	v	r	e	r	d
e	i	i	b	o	i	o	e
l	r	x	f	o	i	i	v
i	e	m	o	i	i	r	o
o	d	r	o	i	t	s	i
t	o	i	s	e	a	u	r

Félix a une très jolie __ __ __ __ .

LE MOT DE FÉLIX

Parmi toutes les étiquettes contenant un mot, encercle celle que
Félix recherche. Le mot de Félix doit respecter tous les indices.

INDICES

verbe - conjugué au présent - contient trois (3) voyelles

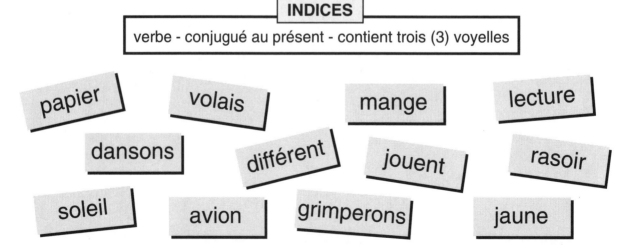

papier — volais — mange — lecture

dansons — différent — jouent — rasoir

soleil — avion — grimperons — jaune

ORDRE ALPHABÉTIQUE

26 Place les mots des étiquettes en ordre alphabétique dans la grille et tu obtiendras un message de Félix à la verticale.

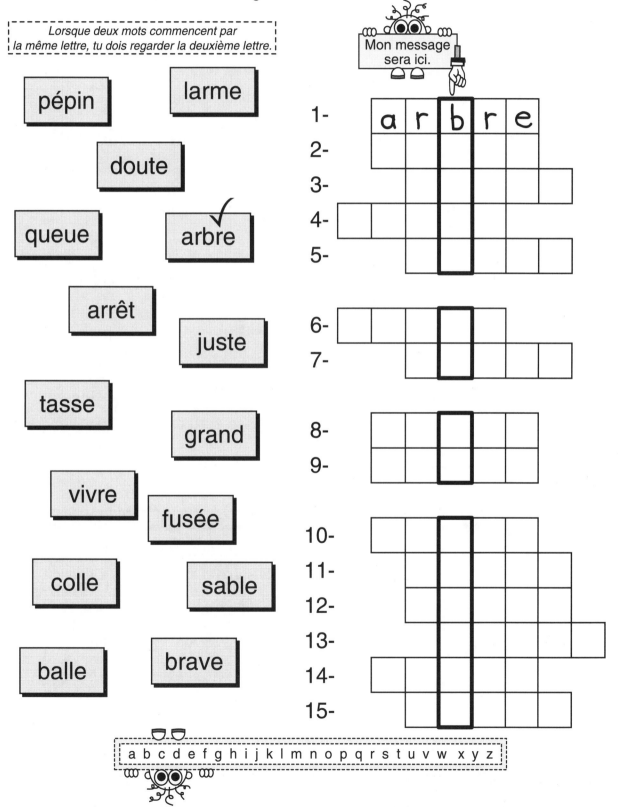

Lorsque deux mots commencent par la même lettre, tu dois regarder la deuxième lettre.

Mon message sera ici.

pépin

larme

doute

queue

arbre ✓

arrêt

juste

tasse

grand

vivre

fusée

colle

sable

balle

brave

1- a r b r e
2-
3-
4-
5-

6-
7-

8-
9-

10-
11-
12-
13-
14-
15-

a b c d e f g h i j k l m n o p q r s t u v w x y z

MÉLI-MÉLO

Dans chaque rectangle tu trouveras des mots qui peuvent former une phrase. À toi de les remettre en ordre!

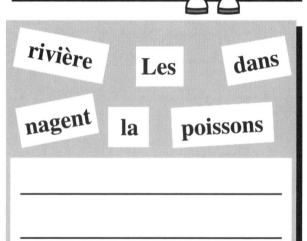

Le | **une** | **bourgeon**
deviendra | **petit** | **feuille**

_____

_____

---

un | **drôle** | **Félix** | **est**
petit | **de** | **bonhomme**

_____

_____

Ce | **blanche** | **dessine**
sur | **feuille** | **la** | **garçon**

_____

_____

---

rivière | **Les** | **dans**
nagent | **la** | **poissons**

_____

_____

---

un | **est** | **gourmand**
trop | **garçon** | **Patrick**

_____

_____

Simon | **la** | **Mélanie**
soeur | **de** | **petite** | **est**

_____

_____

LABYRINTHE

Hugo voudrait bien retrouver son frère Alexandre, mais il doit passer par le labyrinthe. Montre-lui le chemin qu'il doit prendre.

COMPLÈTE LE TEXTE

Complète le texte suivant avec les mots placés sur les étiquettes.

matins Elle amusants regarde son

orteils éléphant tour drôle

Zoé tête

Les rêves d'Amandine

Chaque nuit, Amandine fait de drôles de rêves. Elle voit ses jouets qui s'animent et bougent autour d'elle. Son _____ en peluche vient lui chatouiller les _____ pendant que sa toupie tourne sur sa _____ . Mais ce qu'elle trouve le plus _____, c'est de voir sa poupée _____ jouer de la trompette avec _____ nez. Tous les _____, lorsqu'Amandine se réveille, elle fait le _____ de sa chambre. Comme d'habitude, rien n'a bougé. Elle _____ alors ses jouets en souriant. _____ a déjà hâte de se rendormir car ses rêves sont tellement _____ .

Relie le Soleil à la Terre en traçant le chemin à travers le labyrinthe.

Ajoute des voyelles pour compléter les cinq (5) mots suivants.
Afin de t'aider, Félix t'a donné un indice sous chaque mot.

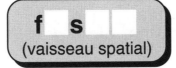

L__n__
(Au clair de la ....)

T__rr__
(ta planète)

S__l__l
(grosse étoile)

f__s____
(vaisseau spatial)

T__rr____n
(habitant de la Terre)

A
E I O
U Y

FÉMININ OU MASCULIN?

Colorie en **brun** les lions qui tiennent un nom **féminin**.
Colorie en **orangé** les lions qui tiennent un nom **masculin**.

loupe

panier

chandelle

patate

tablette

sport

horloge

espion

équipe

LES CACHES

Écris chaque mot de la liste suivante sur la cache qui lui convient.
Regarde bien l'exemple que Félix a fait pour toi.

Observe bien la forme des mots!

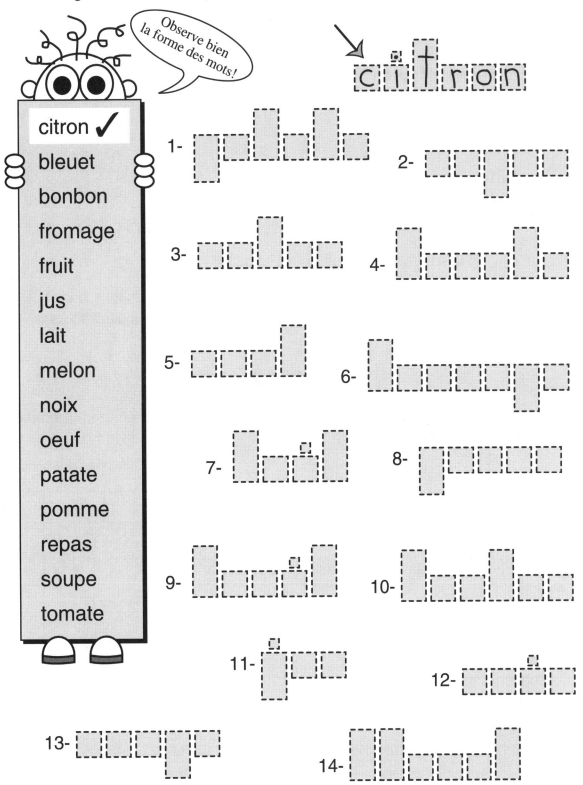

citron ✓
bleuet
bonbon
fromage
fruit
jus
lait
melon
noix
oeuf
patate
pomme
repas
soupe
tomate

MOT-MYSTÈRE

34 Trouve les mots suivants dans la grille et encercle-les.
Les lettres restantes formeront la réponse.

Le son **on**

bâton	faucon
bouton	long
carton	montre
congé	onze
conte	pont
dragon	rond

l	m	f	a	u	c	o	n
c	o	n	t	e	e	n	d
n	n	n	j	a	g	o	r
o	t	d	g	t	n	t	a
t	r	n	n	m	o	a	g
r	e	o	b	o	c	b	o
a	p	r	o	n	z	e	n
c	b	o	u	t	o	n	n

Pour le pique-nique, Félix
a apporté des sandwichs
au _ _ _ _ _ .

MOTS ENTRECROISÉS

35 Trouve un **synonyme** pour chaque mot de la liste et écris-le ensuite
au bon endroit dans la grille.

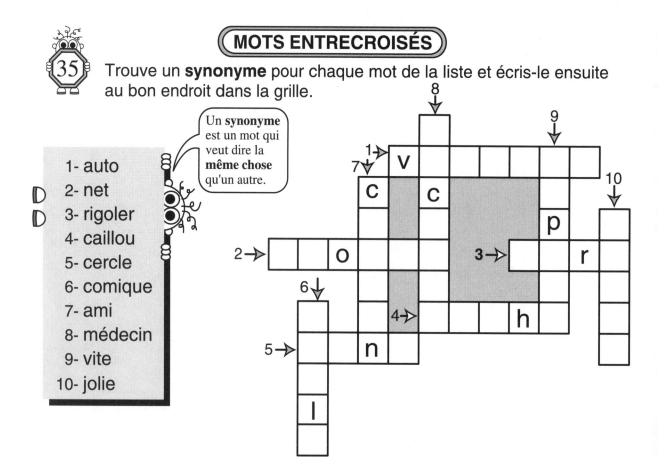

Un **synonyme** est un mot qui veut dire la **même chose** qu'un autre.

1- auto
2- net
3- rigoler
4- caillou
5- cercle
6- comique
7- ami
8- médecin
9- vite
10- jolie

CODE SECRET

Déchiffre le message à l'aide du code secret.

CODE SECRET

❄	✒	✚	✏	✍	□	✆	▼	◆	✳	✿	❀	○
a	b	c	d	e	f	g	h	i	j	k	l	m

✂	✂	☎	✈	✉	☞	☆	⇒	✿	♣	♥	⊚	♠
n	o	p	q	r	s	t	u	v	w	x	y	z

Message

Savais-tu que

les hippopotames

se nourrissent

d'herbe?

MOTS ENTRECROISÉS

37 À partir des indices suivants, trouve les mots que l'on cherche et inscris-les dans la grille.

ATTENTION!
Tous les mots commencent par la lettre "**P**".

INDICES

1- Je vis dans l'eau.

2- Je suis sur le dos des oiseaux.

3- Je suis le contraire de "grand".

4- J'étais une chenille. Je me suis transformée.

5- Je me cache dans ton soulier.

6- Je permets aux voitures de passer par-dessus les cours d'eau.

7- Je suis un endroit à l'extérieur où les enfants viennent jouer.

8- Je suis le masculin de "maman".

9- Je combats les incendies, car c'est mon métier.

10- Je contiens les déchets.

11- Je suis l'arbre où poussent les pommes.

12- Je suis l'instrument de musique du pianiste.

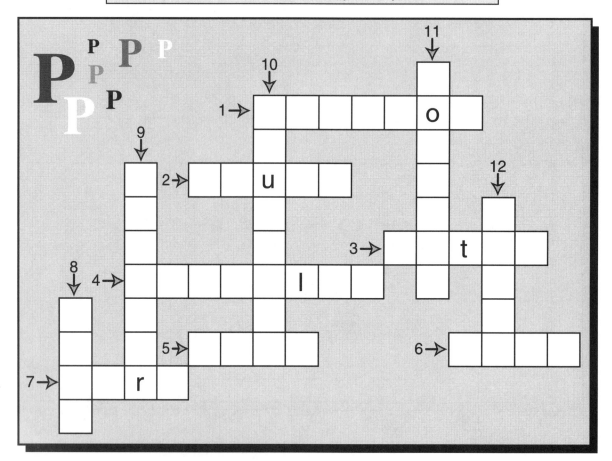

LABYRINTHE

38 Relie chaque souris au morceau de fromage qui est au centre.

MOT-MYSTÈRE

39

Trouve les mots suivants dans la grille et encercle-les.
Les lettres restantes formeront la réponse.

Le son **au**

auto	gauche
chaud	haut
épaule	jaune
faucon	saumon
faute	sauter
faux	taupe

c	e	g	a	u	c	h	e
h	t	f	a	u	c	o	n
a	u	h	j	a	u	n	e
u	a	s	a	u	t	e	r
d	f	s	a	u	m	o	n
f	a	u	x	u	t	s	a
t	a	u	p	e	t	u	v
e	p	a	u	l	e	o	e

Lorsque le lièvre voit le renard
il se __ __ __ __ __ __ .

JOUONS AVEC L'ALPHABET

40

Écris dans le carré la lettre de l'alphabet qui n'a jamais
été utilisée pour écrire ces mots.

paix   moustache   yeux   zéro

kiwi   fève   glissade   jambon

a b c d e f g h i j k l m n o p q r s t u v w x y z

Quelle est la lettre qui a été utilisée le plus de fois? _____

ASSOCIATION DE SYLLABES

41 Associe les syllabes des deux colonnes de gauche à celles des deux colonnes de droite pour former dix (10) verbes.

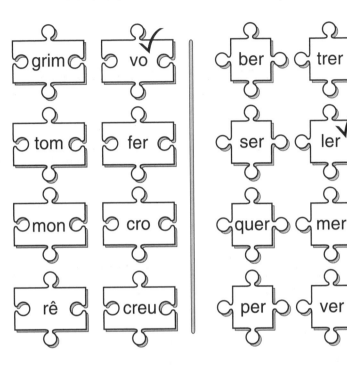

grim | vo ✓
tom | fer
mon | cro
rê | creu

ber | trer
ser | ler ✓
quer | mer
per | ver

Écris les VERBES ici.

1- voler
2-
3-
4-
5-
6-
7-
8-

MÉLI-MÉLO

42 Replace en ordre les lettres dans chaque bulle ci-dessous et tu retrouveras huit (8) mois de l'année.

t o o c e r b
_____

n e i a j r v
_____

m e r o v e b n
_____

r a l i v
_____

l e i t u j l
_____

c é e e r b m d
_____

n u j i
_____

r e p e t b e m s
_____

Relie chaque chiot aux os qui sont placés au centre.

MÉLI-MÉLO

Replace en ordre les lettres dans chaque bulle ci-dessous et tu retrouveras cinq (5) vêtements.

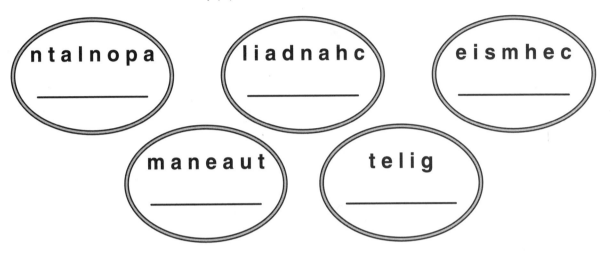

n t a l n o p a

_____

l i a d n a h c

_____

e i s m h e c

_____

m a n e a u t

_____

t e l i g

_____

LES VOYELLES

Ajoute les voyelles pour compléter les mots suivants.
Afin de t'aider, Félix t'a donné un indice sous chaque mot.

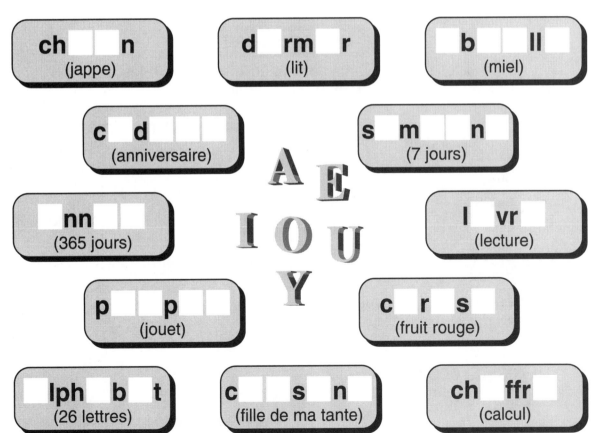

ch __ n
(jappe)

d _ rm _ r
(lit)

b _ ll
(miel)

c _ d ___
(anniversaire)

s _ m _ n
(7 jours)

A E
I O U
Y

_ nn __
(365 jours)

l _ vr _
(lecture)

p __ p __
(jouet)

c _ r _ s _
(fruit rouge)

_ lph _ b _ t
(26 lettres)

c _ _ s _ n
(fille de ma tante)

ch _ ffr _
(calcul)

FÉMININ OU MASCULIN?

Colorie en **jaune** les pommes qui contiennent un nom **féminin**.
Colorie en **vert** les pommes qui contiennent un nom **masculin**.

balcon   soeur   oiseau   jouet

devoir   lecture   domino   éponge

MOT-MYSTÈRE

Trouve les mots suivants dans la grille et encercle-les.
Les lettres restantes formeront la réponse.

L'école

ami	groupe
classe	jeu
cour	livre
crayon	mot
devoir	sac
école	travail
étude	

C'est à l'école que Félix
a appris à _ _ _ _ _ _ .

l	g	r	o	u	p	e	t
c	i	e	c	o	l	e	r
d	o	v	a	m	i	s	a
e	e	u	r	l	u	s	v
v	d	s	r	e	t	a	a
o	u	a	j	o	i	l	i
i	t	c	m	r	e	c	l
r	e	c	r	a	y	o	n

MOTS ENTRECROISÉS

À partir des indices suivants, trouve les mots que l'on cherche et inscris-les dans la grille.

ATTENTION! Tous les mots commencent par la lettre "**M**".

INDICES

1- Je suis ton abri. Tu m'habites.
2- Je suis le contraire de "soir".
3- Je suis le troisième mois de l'année.
4- Je suis sous le nez de certains hommes.
5- Je suis le cinquième mois de l'année.
6- Je suis le contraire de "en santé".
7- Je suis le féminin de "papa".
8- Je suis jaune. Tu me places parfois dans tes sandwichs.
9- Je suis le féminin de "monsieur".
10- J'ai cinq doigts.
11- Je dure soixante secondes.
12- Je m'attache à ton poignet. Je te permets de lire l'heure.

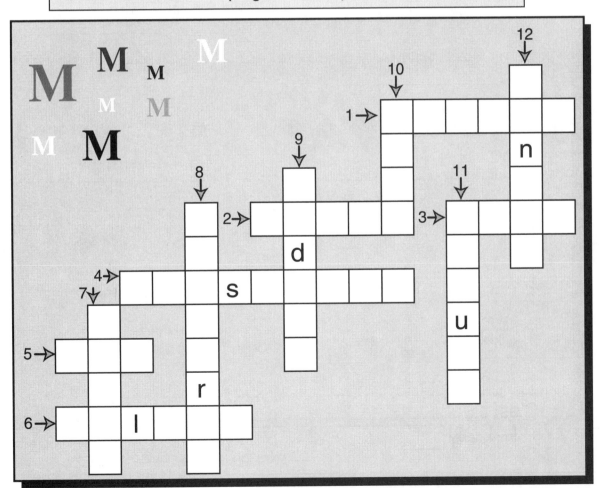

CODE SECRET

Déchiffre le message à l'aide du code secret.

CODE SECRET

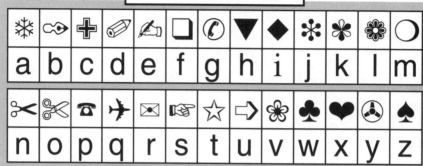

❄	🔗	✚	✏	✍	◻	✆	▼	◆	✻	✽	❀	○
a	b	c	d	e	f	g	h	i	j	k	l	m

✂	✂	☎	✈	✉	☞	☆	➡	✿	♣	♥	⚙	♠
n	o	p	q	r	s	t	u	v	w	x	y	z

Message

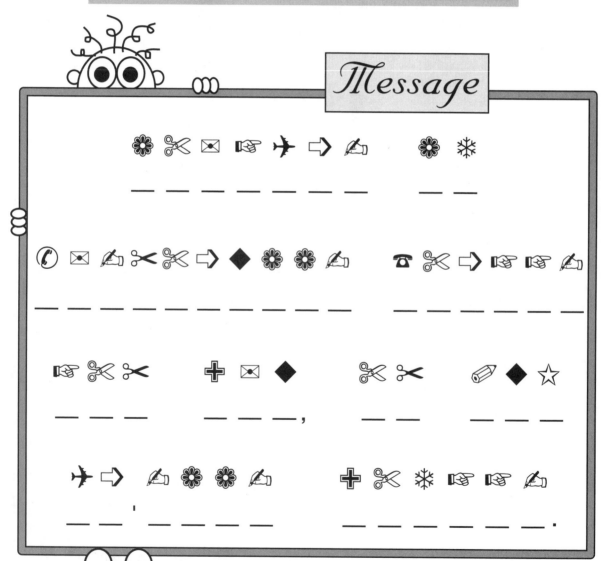

lorsque la

grenouille pousse

son cri, on dit

qu'elle coasse.

MOTS ENTRECROISÉS

50 Trouve un **antonyme** pour chaque mot de la liste et écris-le ensuite au bon endroit dans la grille.

Un **antonyme** est un mot qui veut dire le **contraire** d'un autre.

Liste:
1- salir
2- chaud
3- entrer
4- début
5- loin
6- oui
7- grand
8- ouvrir
9- pauvre
10- plein

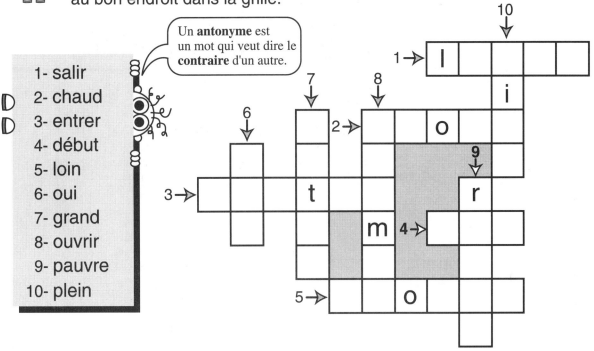

LE MOT DE FÉLIX

51 Parmi toutes les étiquettes contenant un mot, encercle celle que Félix recherche. Le mot de Félix doit respecter tous les indices.

INDICES

adjectif qualificatif - féminin - commence par une consonne

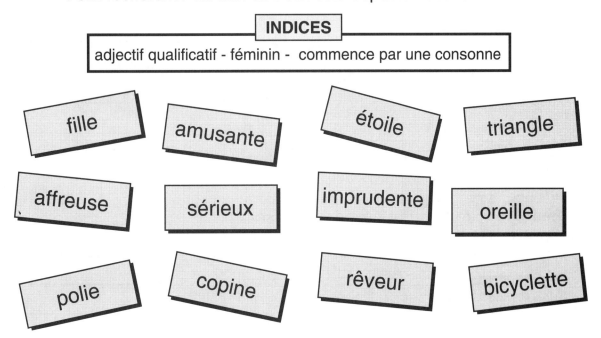

fille — amusante — étoile — triangle — affreuse — sérieux — imprudente — oreille — polie — copine — rêveur — bicyclette

MOT-MYSTÈRE

52 Trouve les mots suivants dans la grille et encercle-les.
Les lettres restantes formeront la réponse.

Le son ai

aider	lait
aile	maison
aimer	mitaine
dizaine	paix
épais	saison
faire	vrai
fraise	

l	d	a	m	l	a	i	t
m	i	t	a	i	n	e	f
i	z	a	i	m	e	r	r
s	a	i	s	o	n	e	a
a	i	x	o	v	d	r	i
i	n	i	n	i	r	i	s
l	e	a	a	n	e	a	e
e	e	p	a	i	s	f	i

Le chaton s'amuse avec une petite balle de

— — — — — .

ASSOCIATION DE SYLLABES

53 Associe les syllabes des deux colonnes de gauche à celles des deux colonnes de droite pour former dix (10) noms de fruits.

Écris le nom des FRUITS ici.

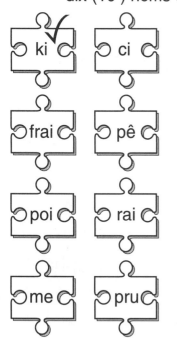

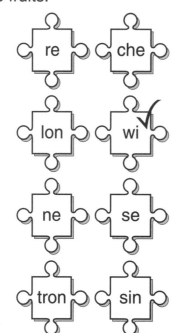

1-	kiwi
2-	
3-	
4-	
5-	
6-	
7-	
8-	

54 Complète le texte suivant avec les mots placés sur les étiquettes.
Tu ne peux utiliser les étiquettes qu'une fois.

les

éléphant

longue

arbres

compliment

dormir

protéger

ans

ventre

poils

L'éléphant

L'éléphant est le plus gros animal terrestre. Il peut être aussi lourd que six voitures et il peut vivre cent _____.

Comme l'hippopotame, l'éléphant a une peau épaisse et il a très peu de _____. L'éléphant est herbivore, il peut utiliser sa _____ trompe pour arracher les feuilles des _____. La femelle _____ n'a qu'un seul bébé à la fois. L'éléphanteau reste dans son _____ pendant presque deux ans. L'éléphant doit prendre des bains de boue afin de _____ sa peau contre les rayons du Soleil. La boue le protège aussi contre _____ moustiques. La nuit, lorsqu'il est très fatigué, il peut _____ debout.

Savais-tu que les éléphants ont une très bonne mémoire? Alors, si un jour on te dit que tu as une mémoire d'éléphant, tu sauras que c'est un _____.

LES CACHES

55 Écris chaque mot de la liste suivante sur la cache qui lui convient.
Regarde bien l'exemple que Félix a fait pour toi.

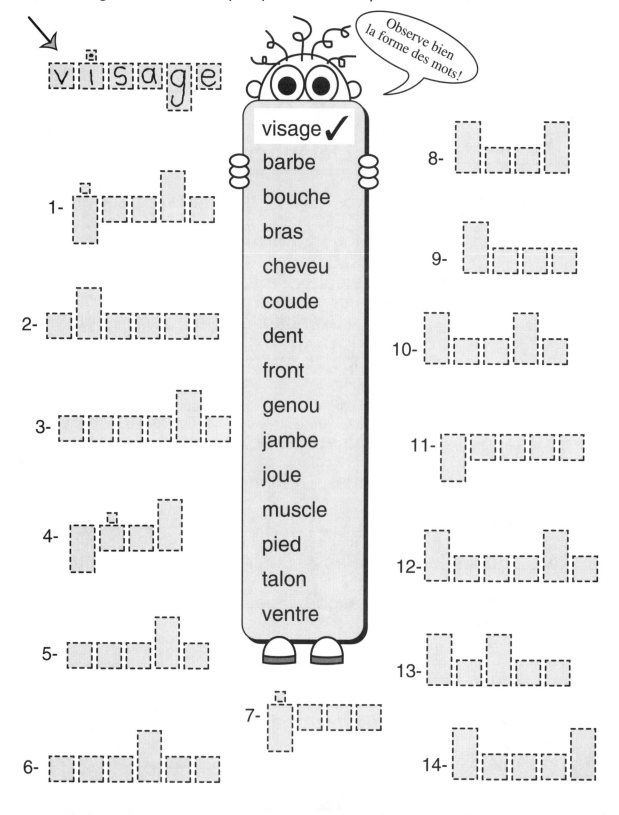

v i s a g e

Observe bien la forme des mots!

visage ✓
barbe
bouche
bras
cheveu
coude
dent
front
genou
jambe
joue
muscle
pied
talon
ventre

1-
2-
3-
4-
5-
6-
7-

8-
9-
10-
11-
12-
13-
14-

56 Écris dans le carré la lettre de l'alphabet qui n'a jamais été utilisée pour écrire ces mots.

gazon

farce

wagon

joyeux

taxi

piquer

ami

ski

hibou

vide

a b c d e f g h i j k l m n o p q r s t u v w x y z

Quelle est la lettre qui a été utilisée le plus de fois? ....

MOT-MYSTÈRE

57 Trouve les mots suivants dans la grille et encercle-les.
Les lettres restantes formeront la réponse.

Le son ou

amour	jour
bijou	loup
bouger	poudre
clou	rouge
couper	sourd
course	trou
fou	

Les couvertures de Félix
sont très ___ ___ ___ ___ ___.

d	e	b	o	u	g	e	r
t	r	o	u	s	p	b	c
a	d	c	l	o	u	i	o
m	u	o	u	u	o	j	u
o	o	c	e	r	l	o	r
u	p	u	u	d	s	u	s
r	o	o	r	o	u	g	e
f	j	c	o	u	p	e	r

LABYRINTHE

Voici trois habitants de la planète Kapoutt. Montre-leur le chemin à prendre pour se rendre jusqu'à leur vaisseau en passant par le labyrinthe.

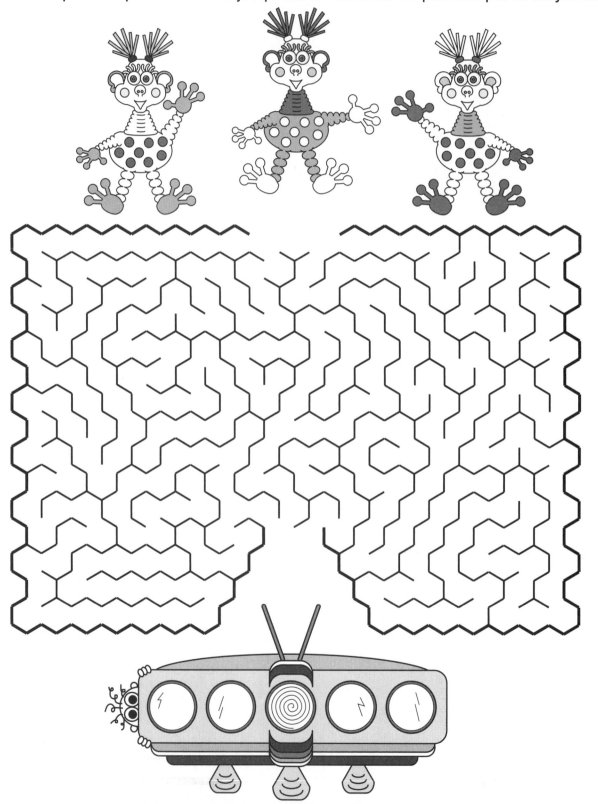

MOT-MYSTÈRE

59

Trouve les mots suivants dans la grille et encercle-les.
Les lettres restantes formeront la réponse.

Les nombres

un
deux
trois
quatre
cinq
six
sept
huit
neuf
dix
onze
douze
treize
chiffre

q	e	t	r	e	i	z	e
u	z	d	t	r	o	i	s
a	u	i	o	c	s	m	u
t	o	x	t	n	i	i	n
r	d	i	t	n	z	n	x
e	u	p	i	e	l	e	q
h	e	d	e	u	x	l	e
s	c	h	i	f	f	r	e

Félix a toujours __ __ __ __ __ et un tours dans son sac.

MESSAGE SECRET

60

Félix t'a écrit un petit message. Pour décoder son message,
tu dois inscrire sous chaque lettre celle qui vient
tout de suite **après** selon l'ordre alphabétique.

Attention!
La lettre "Z"
deviendra "A"

A n m i n t q   I   d r o d q d   p t d
_ _ _ _ _ _ _ !   _ ' _ _ _ _ _ _   _ _ _

s t   z r   d t   c t   o k z h r h q
_ _   _ _   _ _   _ _   _ _ _ _ _ _ _

z u d b   l d r   i d t w
_ _ _ _   _ _ _   _ _ _ _ .

Félix

SOLUTIONS

1- La lettre jamais utilisée est: W
La lettre la plus utilisée est: A

2- FÉLIX

3-
1. plage   8. bloc
2. cirque   9. robot
3. patin   10. bille
4. livre   11. cabane
5. toupie   12. domino
6. parc   13. glissade
7. ski   14. casquette

5- lionceau - crocodile - chameau - canard - girafe

6- Le gorille est le plus grand et le plus fort de tous les singes.

7- ruche

8- poussin

10-

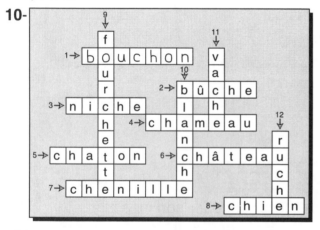

11- L'oiseau a peur des gros chats.
Félix adore inventer de nouveaux jeux.
Les enfants aiment apprendre en jouant.
Le lilas fleurit au printemps.
La Terre tourne autour du Soleil.
Il y a sept jours dans une semaine.

12- le rêve - la nuit - l'oreiller - les lits

13- fleurs

14- école (*féminin*) souvenir (*masculin*) -
rêve (*masculin*) - planète (*féminin*) -
couteau (*masculin*) - baleine (*féminin*) -
famille (*féminin*)- journal (*masculin*) -
idée (*féminin*) - cabane (*féminin*)

15- serpents - oeufs - maison - dure - pattes -
Les - nager - tortues - lentement - vivre - elles

16- le dictionnaire

17- avion - train - bateau - autobus - camion
moto - voiture - fusée

18- prudent

19- JEUX

20- sauter - dormir - faire - danser - vendre
choisir - vouloir - jouer

21-
1. coller   8. couper
2. cacher   9. gagner
3. nager   10. tomber
4. aller   11. bouger
5. chanter   12. garder
6. attraper   13. voyager
7. calculer   14. chercher

22-

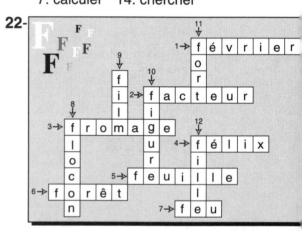

23- Le dromadaire ressemble au chameau mais
il n'a qu'une bosse sur le dos.

24- voix

25- jouent

26- Bravo tu as réussi.

27- Le petit bourgeon deviendra une feuille.
Félix est un drôle de petit bonhomme.
Ce garçon dessine sur la feuille blanche.
Les poissons nagent dans la rivière.
Patrick est un garçon trop gourmand.
Mélanie est la petite soeur de Simon.

29- éléphant - orteils - tête - drôle - Zoé - son -
matins - tour - regarde - Elle - amusants

31- Lune - Terre - Soleil - fusée - Terrien

32- loupe (*féminin*) - panier (*masculin*) - chandelle (*féminin*) - patate (féminin) - tablette (*féminin*) - sport (*masculin*) - horloge (*féminin*) - espion (*masculin*) - équipe (*féminin*)

33-
1. patate	8. pomme
2. repas	9. fruit
3. melon	10. bonbon
4. tomate	11. jus
5. oeuf	12. noix
6. fromage	13. soupe
7. lait	14. bleuet

34- jambon

35-

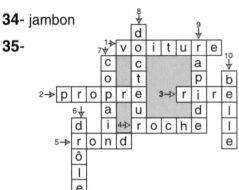

36- Savais-tu que les hippopotames se nourrissent d'herbe?

37-

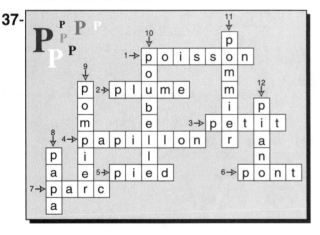

39- sauve

40- La lettre jamais utilisée est: Q
La lettre le plus utilisée est: E

41- voler - grimper - tomber - fermer - montrer - croquer - rêver - creuser

42- octobre - janvier - novembre - avril - juillet - décembre - juin - septembre

44- pantalon - chandail - chemise - manteau - gilet

45- chien - dormir - abeille - cadeau - semaine - année - livre - poupée - cerise - alphabet - cousine - chiffre

46- balcon (*masculin*) - soeur (*féminin*) - oiseau (*masculin*) - jouet (masculin) - devoir (*masculin*) - lecture (*féminin*) - domino (*masculin*) - éponge (*féminin*)

47- lire

48-

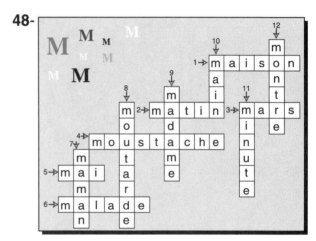

49- Lorsque la grenouille pousse son cri, on dit qu'elle coasse.

50-

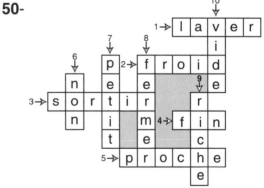

51- polie

52- laine

53- kiwi - citron - fraise - pêche - poire - raisin melon - prune

54- ans - poils - longue - arbres - éléphant - ventre - protéger - les - dormir - compliment

55-

1. jambe	8. dent
2. cheveu	9. bras
3. muscle	10. barbe
4. pied	11. genou
5. coude	12. bouche
6. ventre	13. talon
7. joue	14. front

56- La lettre jamais utilisée est: L
La lettre la plus utilisée est: I

57- douces

59- mille

60- Bonjour! J'espère que tu as eu du plaisir avec mes jeux.

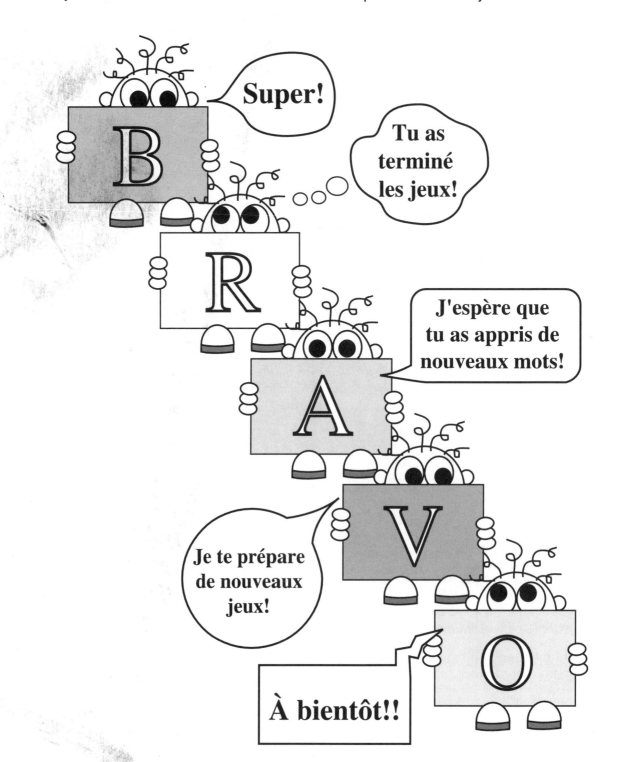